WANDA — WAANZINNIG BEROEMD!

Andere boeken van Dagmar Geisler bij Clavis
Het geheime dagboek van Wanda
Wanda – Strikt geheim
Wanda – Wraak te paard

Dagmar Geisler
Wanda – waanzinnig beroemd!
© 2008 Deutscher Taschenbuch Verlag GmbH & Co. KG, München
© 2011 voor het Nederlandse taalgebied: Clavis Uitgeverij, Hasselt – Amsterdam – New York
Illustraties: Dagmar Geisler
Vertaling uit het Duits: Roger Vanbrabant
Oorspronkelijke titel: *Wanda – Wahnsinnig berühmt!*
Oorspronkelijke uitgever: DTV GmbH & Co. KG, München
Trefw.: dagboek, geheimen, meisjes en jongens, bekendheid
NUR 283
ISBN 978 90 448 1565 8
D/2011/4124/050

www.clavisbooks.com

Dagmar Geisler

WANDA
Waanzinnig beroemd

Clavis

Zondagavond

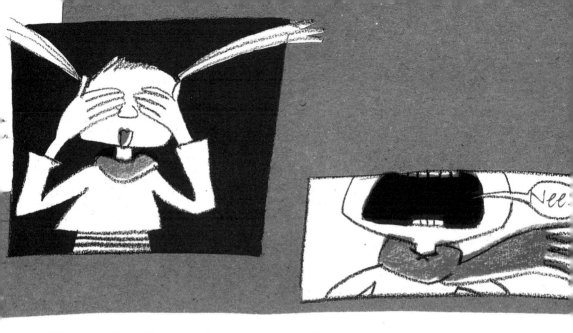

Waarom heb ik nu toch weer ja gezegd?

Tegen zo'n onzin!

Kan iemand me dat uitleggen?

Ik heb Katti al opgebeld, maar ook mijn beste vriendin kan me niet helpen eronderuit te komen. Waarom zou ze ook? Zij lijkt het zelfs leuk te vinden dat we eind deze week naar die casting gaan.

Als ik dat woord hardop zeg, krijg ik onmiddellijk puistjes en uitslag en schurft en nog een heleboel andere echt afschuwelijke dingen:

Janda Lichtenberg gaat naar een casting!!!

Onlangs zei ik nog dat ik zoiets nóóit zou doen!
Het werkt echt op mijn zenuwen dat die stomme geiten
van onze school alleen nog maar kunnen praten over
castingshows en over beroemd worden. Barbara, die zich
Barbie laat noemen en naar Katti's ruiterclub gaat, is de ergste
van allemaal. Maar ook Pamela en een paar andere meiden
zijn onverdraaglijk. Gelukkig zit Leonie (ook van Katti's
ruiterclub) op een andere school, zodat ik van haar geen last
heb. Maar ik weet zeker dat ook zij allerlei onzinkapsels zou
nemen en elke dag wel een pond glitterschmink mee naar
school zou brengen, net als die andere geiten.

Ik til Maja, mijn kat, op en kijk diep in haar ogen. Ik zweer
dat ik haar zoiets nooit zal aandoen. Ik bedoel, dat ik nooit
zal proberen haar over te halen om aan een casting mee te
doen. Ik weet immers dat ze niet eens graag op een foto wil.

Is Duitsland soms op zoek naar een attenidool?

Zijn er eigenlijk ook castings voor katten?

Maar heel wat moeders schrikken gewoon nergens voor terug.

Ik krab Maja op haar donzige buik en denk na over hoe het zover heeft kunnen komen.

Gisteravond waren Katti, Fabian en ik hiernaast bij de Schillings in de tuin. We dronken vlierbessensap en keken naar Maja en meneer Melcherson, de hond van Fabian, die aan het ravotten waren.

'Hebben de meisjeshaters hun fietsen al teruggevonden?' vroeg Katti ineens.

'Nee,' antwoordde Fabian. 'Die liggen nog altijd verstopt op de manege, onder het hooi.'

Katti kreeg toen een van haar beroemde lachstuipen en ze proestte haar vlierbessensap in het rond.

En Fabian vond dat het tijd werd om een lijst te maken van

Verstopplaatsen:

Geribde onderbroe
van een schijtlaa

1. De onderbroeken van alle meisjeshaters zitten in de buik van een ridderharnas. In de burcht die we met de klas bezocht hebben.

3. De fietsen van de meisjeshaters liggen onder een hoop hooi!!!

OP DE MANEGE, WAAR WE LAATST NOG WAREN

Want één ding is duidelijk:
We moeten ons wreken!

We zijn nog lang niet klaar met de meisjeshater

alle spullen van de meisjeshaters die we op de gekste plekken verstopt hadden.

Toen schoten we alle drie in de lach. Wat stom dat vlierbessensap vlekken maakt, die je nooit meer weg krijgt. We giechelden zo hard dat we er buikpijn van kregen.

Tot we plots in een hoek iets hoorden ritselen en we een paar lichtflitsen zagen.

Spionnen! dachten we meteen.

'De meisjeshaters!' riepen we.

We sprongen op en sloegen de spion in de struiken zijn digitale camera uit zijn hand.

Maar het was Bernie Braakmiddel niet, de leider van de meisjeshaters. Het was ook Tobias niet of Lucki of Tom of Yakup ...

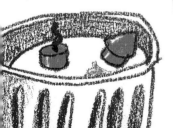

2. De vuurwerkspullen van de meisjeshaters drijven helemaal doorweekt in een regenton.

Zo ziet Marietta eruit zonder builen.

Het was Marietta, mama's vriendin, die bij ons op bezoek is. De camera is gelukkig niet beschadigd. Maar Marietta wel.
Dikke builen boven haar wenkbrauwen. Zo groot als eieren. Of toch bijna zo groot.

We gingen allemaal naar binnen. Mama wikkelde een ijszak in een theedoek en haar vriendin hield die tegen haar voorhoofd.
Marietta vertelde waarom ze tussen de struiken gekropen was om foto's van ons te nemen.

Ze werkt voor een filmproducent, die voor de regering een reclamespotje aan het maken is. In het spotje wordt gezegd dat kinderen niet zoveel op het internet moeten surfen, maar beter wat anders kunnen doen. Buiten in de vrije natuur spelen. Lid worden van een jeugdbeweging. Aan sport doen of muziek maken. En daarvoor is Marietta op zoek naar levenslustige en spontane kinderen.

'Lééévenslustig en spontááán!' riep ze en ze gluurde vanonder haar ijszak. 'Maar alle kinderen die we tot nu toe gecast hebben, waren ongeschikt!'

'Daar kan ik me wel iets bij voorstellen,' bromde ik en ik dacht aan de geiten op school.

Wie doet daar nu ook vrijwillig aan mee? Alleen maar meiden als Barbie, Pamela en Leonie.

onie, de vervelendste van alle geiten!

Gelukkig zit ze op een andere school.

Pamela!

Denkt dat ze het mooiste haar van de wereld heeft.

Barbie, die eigenlijk Barbara hee

Marietta vertelde dat Flavio, haar baas, echt wanhopig is. Hij gaat een nieuwe casting organiseren. In onze stad, omdat het spotje hier ook gedraaid zal worden. Hij wreef door zijn haar, dat hij niet heeft, en riep: 'Dat is onze laatste kans! Als het dan niet lukt, zijn we de opdracht kwijt en dan ...' Marietta liet ons zien hoe hij zijn wijsvinger over zijn keel had laten glijden.

'Kop eraf!' zei Fabian.

Marietta knikte. Ze verwachtte dat háár kop als eerste zou rollen.

Mama keek haar vol medeleven aan.

Ik wilde Marietta vragen wat dat allemaal te maken had met wat ze tussen de struiken gedaan had. Maar mama gaf me een veelbetekenende blik en ineens was alles duidelijk.

'Spontaan en levenslustig,' zuchtte ik.

Ik beet op mijn lip. Shit! Waarom hadden we in Fabians tuin ook zo zitten giechelen?

Als mama me haar veelbetekende blik  geeft

... dan is ze óf boos

óf wil ze iets van me.

... dan weet ik meteen wat ik moet doen.

... dan herinner ik me plots heel scherp wat ik uitgespookt heb.

... dan kan ik me maar beter uit de voeten maken.

... dan wou ik dat ik oogkleppen had, om niets meer te kunnen zien.

Maar op een of andere manier zie ik die blik altijd, en dan is het te laat.

STOM, STOM, STOM ...

ZELFS ALS IK DAT HELEMAAL NIET WIL.

STOM, HOOR!

Nog altijd zondagavond

Ik lig in bed en denk na over hoe ik het onheil nog zou kunnen afwenden.

1. Ik zeg nog een keer tegen mama hoe SUPER erg ik het vind als ik op een foto moet.
(Heeft geen zin! Tenslotte weet ze dat heel goed. Het is nog niet zo lang geleden dat we ruzie hadden omdat ze alweer een foto van me wilde publiceren. Ik heb toen alleen maar JA gezegd omdat die heel klein in een folder van UNICEF zou komen.)

2. Ik zeg gewoon NEE!
(Heeft geen zin. Dan kijkt mama me weer zo veelbetekenend aan.
Het is immers voor haar arme vriendin Marietta, die misschien haar baantje zal verliezen en die door ons builen op haar hoofd heeft. Die builen zijn al een beetje gekrompen, maar toch ...

3. Ik word ziek.

(Heeft geen zin. Dan halen ze vast Fabians vader er weer bij. Die is arts bij het Instituut voor Tropische Geneeskunde en kent alle ziektes die er bestaan.)

uitslag, koorts, de hele rimram.

4. Ik word echt ziek!!!

(Lukt me natuurlijk niet zomaar.)

5. Ik laat mijn hoofd kaalscheren.

(Nee! Dan knijp ik nog liever mijn ogen dicht en sla ik me erdoor.)

6. Ik loop weg
(Onzin!)

Shit! Ik knip het licht uit en lig nog lang wakker. We hadden eronderuit kunnen komen als Katti en Fabian me gesteund hadden. Maar gek genoeg was Katti meteen in de wolken over het idee. En Fabian? Die wist van gekkigheid niet meer wat hij moest doen.

'Mona vermoordt me als ik naar een casting ga!' riep hij opgetogen. 'Zij valt altijd al af bij de eerste selectie!' Hij begon te schaduwboksen van plezier.

Oké, dat begrijp ik wel. Tenslotte doet Mona de laatste tijd soms alsof haar broertje een vervelend insect is. In elk geval niet iemand die je serieus kunt nemen.

Maar toch … er moest zeker weten nog een andere manier zijn om hieraan te ontsnappen.

Ik zie hoe Maja op het voeteneinde van het bed hopst. Dat is eigenlijk streng verboden, maar vanavond maakt het me niks uit.

Maandag

Ik laat Katti en Fabian zweren dat ze niemand op school iets zullen vertellen over de casting. De geiten mogen er in geen geval iets van te weten komen. Of, nog erger, Bernie en zijn meisjeshaterskliek. Ik krijg al kippenvel als ik alleen al denk aan de onzin die ze zouden uitkramen als ze het wisten.

Dinsdag

Marietta is nog bij ons. Ze slaapt in de kamer die van papa was, toen hij nog bij ons woonde. Ze woont al een tijdje ergens ver weg op het platteland. Als ze een paar dagen in de stad moet zijn, overnacht ze hier soms. Tot nu toe vond ik dat altijd cool. Al was het maar omdat mama dan altijd opgewekt is.

Maar toen vond Marietta me nog niet 'lééévenslustig en spontááán'. En zou ze ook nooit op het idee gekomen zijn me naar zo'n stomme casting te sturen.

Hé! Ineens schiet het me te binnen wat ik kan doen opdat ze me niet zullen nemen. Bingo!
Dat ik daar niet eerder op gekomen ben!

Woensdag ← *Jakkes!*

Voor vanmiddag is er een voorbereidend gesprek gepland. We moeten allemaal naar de filmstudio's gaan, waar Marietta's firma een ruimte gehuurd heeft.

Katti en Fabian zijn nogal opgewonden. Ze blaten de oren van mijn kop. Ik ben niet opgewonden. Echt niet! Integendeel!

De baas in hoogsteigen persoon is er voor het voorbereidende gesprek. Tenslotte komen die drie zomaar uit de lucht gevallen, vond hij. En nu wil hij zichzelf ervan overtuigen of het materiaal dat Marietta deze keer binnenbrengt wel echt overtuigend is. Materiaal! Zo heeft hij het echt gezegd. Ik heb het zelf gehoord toen we in de tochtige gang zaten te wachten. Marietta hoeft er voor het gesprek niet bij te zijn, omdat ze ons te goed kent. Maar goed ook!

Hij roept ons een voor een naar binnen. Als ik aan de beurt ben, adem ik diep in en denk ik nog even aan wat ik me voorgenomen heb. Dan loop ik met een ernstig gezicht naar binnen.

Daar zit hij achter zijn bureau. De baas. Flavio! Hij heeft een zwarte coltrui aan, een zwarte jeansbroek en zwarte schoenen. Zijn hoofd is kaal en hij draagt een bril met een dik, zwart montuur.

Net een bijziende bowlingbal! denk ik.

Ik voel een grijns opkomen, maar ik bijt op mijn lippen. Grijnzen hoort niet bij mijn plan.

De baas kijkt op van zijn papieren, waarop hij snel nog iets gekrabbeld heeft. Hij geeft de jonge vrouw die naast hem zit een teken. Als op bevel glimlacht die naar me, waarna ze tussen de papieren iets begint te zoeken.

'Wanda Lichtenberg!' zegt ze uiteindelijk. 'Juist?'

Ik knik.

De vrouw knipt haar glimlach weer aan. 'Nou, Wanda,' zegt ze. 'Vertel ons eens wat over jezelf. Wat doe je zoal en waarom ben je hier?'

De baas knikt me aanmoedigend toe. Prima! Dat is precies waar ik op wachtte. Ik vertel alles wat ik gisteravond bedacht heb.

Ik vertel hun dat ik schilderes wil worden en dat ik voor hun gedoe echt geen tijd heb. Ik zeg dat ik het haat als er foto's van me gemaakt worden, al is mijn moeder fotografe. Ik zeg dat ik meiden die vrijwillig naar castings gaan stomme geiten vind. Ik zeg zelfs dat ik castingshows op tv echte shit vind. Ja hoor, echte shit! Ik zeg dat heel erg hard en plant daarbij mijn vuisten op mijn heupen. En ten slotte zeg ik ook nog dat ik het **stom** vind als mensen materiaal genoemd worden.

Als die twee nu nog niet overtuigd zijn dat ik hier niets te zoeken heb, dan weet ik het ook niet meer.

'Dank je,' zegt de jonge vrouw. 'Dat volstaat.'

Ze werpt me een misprijzende blik toe en begint tegen de baas te fluisteren.

Tuurlijk volstaat dat! denk ik.

Ik verheug me er al op dat ze zullen zeggen dat ze het jammer vinden en dat ze me er dan uit zullen gooien.

'Fantastisch!' zegt de baas.

Ik geloof mijn oren niet.

'Fantastisch!' zegt hij nog een keer en hij begint luid te lachen. 'Fris en uit het leven gegrepen! Precies wat we zochten!'

'Wat bedoelt u?' vraag ik, want ik begrijp er niets van.

'We bedoelen dat je door bent naar de volgende ronde,' zegt de jonge vrouw en nu kijkt ze me ineens weer glimlachend aan.

Geweldig, hoor!

Katti en Fabian zijn ook geselecteerd bij de casting. Ze hebben me dat meteen verteld en ze straalden daarbij van plezier. Ik durf te wedden dat Katti alleen maar indruk wil maken op de manegegeiten, net zoals Fabian alleen maar indruk wil maken op Mona. Hij is al helemaal hoteldebotel omdat hij haar zo meteen het nieuwtje onder de neus kan wrijven.

We dekken samen de tafel. Mama heeft de hele kliek Schillings uitgenodigd voor het avondeten. Zo kunnen Marietta en Waltraut elkaar wat beter leren kennen.

Wat mij betreft, kunnen die twee samen naar een onbewoond eiland vertrekken. En dat meen ik!

Marietta is waanzinnig opgewekt. Die Flavio heeft haar gefeliciteerd. Hij zei dat hij altijd geweten heeft dat ze goed is in het casten van kinderen. Nu staat ze daar slablaadjes los

te trekken en met een gelukzalige glimlach voor zich uit te
neuriën. Is ze dan al vergeten dat hij haar gisteren nog de laan
uit wilde sturen?

Katti zorgt voor het bestek.

'Je kijkt alsof je twee wiskundetoetsen na elkaar gaat
krijgen,' zegt ze en ze prikt met een vork in mijn zij.

'Lieve hemel!' foeter ik. 'Waarom willen jullie in
vredesnaam zo graag op tv komen?' Ik knal de glazen zo hard
op het tafelblad dat ze bijna breken.

'Ben je gek?' roept Katti. 'Het gaat er toch alleen maar om
dat we erbij zijn! Ze nemen ons heus niet. We hebben geen
schijn van kans.'

'Maar waarom willen jullie dan zo graag meedoen?'
snuif ik.

Ik spring bijna uit mijn vel.
Ik begrijp mijn beste vriendin
niet meer. Nu wordt ze ook
nog rood en ze frunnikt aan
een servet alsof ze iets vreselijks
uitgespookt heeft.

'Vanwege Leonie,' zegt ze zacht.

Verdraaid, ik had het kunnen weten. Ik wil me net omdraaien als ze weer iets zegt.

'Je weet toch dat ze sinds het schoolreisje iets tegen me heeft ...'

WOEAAAH
Leonie
Gassmann

Nou en? Wat maakt dat uit?

'En nu wil je weer in een goed blaadje staan bij haar?' vraag ik boos. Maar het spijt me meteen weer als ik zie hoe ongelukkig Katti kijkt. 'Spijt me,' mompel ik en ik trek de servet uit haar hand, voor ze die helemaal kan verfrommelen.

Ik weet niet of ze het gehoord heeft. Ze is al aan het vertellen dat er ook op de ruiterclub alleen maar over castings, castings en nog eens castings gepraat wordt.

'En een paar dagen geleden zei Leonie dat ze me daar niet eens zouden zien stáán.'

Ik zie haar schouders schokken. 'Hoe komt ze daarbij?' vraag ik verontwaardigd.

'Vanwege mijn strohaar en vanwege mijn zomersproeten en vanwege mijn grote neus!' Katti's stem klinkt alsof ze gaat huilen.

Neuzen, neuzen, Neuzen

Ik begin te gillen van ontzetting. Mijn neus is twee keer zo groot als die van Katti. Minstens.

'O-benen en een uitgezakt achterste zei ze ook nog,' kreunt Katti. 'En de anderen moesten daarom lachen. Vooral Pamela.'

'Ha!' brul ik. 'Dat is toch om te gillen! Je gelooft dat toch niet?'

'Niet echt,' zegt Katti. Maar het klinkt niet erg overtuigend.

WOENSDAG nacht

Ik kan niet slapen. Waarschijnlijk heb ik te veel gegeten. Mama's lamskoteletjes waren echt superlekker. En het toetje ook.

Fabian was wat teleurgesteld omdat Mona niet uit haar bol ging. Het succes van haar broertje stoorde haar duidelijk niet, want ze schepte onverstoorbaar een hoop lekkere gebakken aardappeltjes op haar bord. 'Ach, hoe snoezig!' was haar enige reactie. En daarna had ze het alleen nog over haar nieuwe vriend. Deze keer is het een designstudent, die op haar haarkleur valt. Het is nu bosbessenlila.

Ik ben niet snoezig!

Iedereen liet het zich smaken. Maar mama deed vandaag wel vreemd. Zelfs toen ik heel vriendelijk vroeg waarom Bertfried niet kwam eten, snoof ze alleen maar even. En ik vroeg het nog wel om haar. Zelf vond ik het fijn dat hij er eens een keer niet was.

Die Flavio zal Marietta wel verteld hebben welke afschuwelijke dingen ik gezegd heb. En Marietta vertelt mama altijd alles. O, shit! Waarom heb ik daar niet eerder aan gedacht? Als mama gehoord heeft wat ik allemaal gezegd heb, heeft ze natuurlijk door dat ik eruit wilde vliegen. Dan maakt het zelfs niets meer uit dat ik er nog bij ben. Ik had Marietta immers voor gek **kunnen** zetten. En dat is het enige wat telt.

Ik heb dorst. Ik sta stilletjes op en sluip naar de keuken. Mama en Marietta zijn nog niet gaan slapen. Ze zitten in de woonkamer te praten. Marietta mompelt iets en dan hoor ik mama luid snikken. 'Dat kan ik toch niet laten gebeuren?' En dan begint ze echt te huilen.

Verdraaid, dat heb ik niet gewild. Ik wilde alleen maar niet naar die casting.

Vrijdag, iets voor drie uur

Ik wist helemaal niet dat er hier in de buurt zo veel kinderen wonen die ik niet ken. Voor de tv-studio wemelt het van het volk. Wij zijn met Marietta meegekomen, maar de meeste kinderen werden door hun ouders gebracht.

'Heb je die daar gezien?' vraag ik. Ik trek Katti aan haar mouw en wijs naar een moeder die er erg aanstellerig uitziet.

'Ze lijkt wel uit zo'n stomme romantische film weggelopen!' giechelt Katti.

Ik kijk naar de lange vingernagels en de valse wimpers van de vrouw. 'Eerder uit een griezelfilm!'

Trixi heeft
ellenlange wimpers
+
een
wipneus
+
een massa
krullen
(Nep!
Denk ik.)

Nu pas zie ik aan wie ze met haar klauwenvingers aan het frunniken is. Het is Trixi. Trixi ging vroeger naar Katti's ruiterclub en maakte iedereen horendol omdat ze een keer op tv geweest was. Als driejarige, in een reclamespotje over muesli.

Ze heeft ons gezien en komt naar ons toe geschoten. 'Katti!' roept ze. 'Wat doe jij hier?'

Een behoorlijk stomme vraag.

'We verkopen hotdogs,' zegt Fabian daarom. 'En jij?'

Trixi spert haar ogen open. 'Cool! Ik ben hier voor een casting!'

'O ja?' Fabian doet alsof hij het niet gelooft. 'Ik dacht dat hier een missverkiezing gehouden werd.'

Trixi giechelt. 'Nee, hoor! Alleen maar een casting!' Ze schudt met haar krullen. 'Ik weet hoe dat gaat. Ik ben immers al een keer op tv geweest.'

'Echt?' zegt Katti en ze laat haar ogen rollen. 'Dat heb je ons nooit verteld.'

Trixi doet haar mond open en ademt diep in. Maar net nu roept haar moeder haar. Gelukkig! Anders zou Trixi ons vast voor de honderdtwintigduizendste keer het hele verhaal over de mueslireclame vertellen.

Vrijdag

iets na drie uur

Flavio komt ons gejaagd zeggen dat het zo meteen gaat beginnen. Maar hij vraagt iedereen eerst naar de hal te komen. Ook de ouders, die er eigenlijk niet bij hoeven te zijn. Hij wil iets belangrijks meedelen.

Katti en Fabian kijken me aan. Ik haal mijn schouders op. Ik heb ook geen flauw idee wat er aan de hand is.

In de hal pakt hij een microfoon en klimt hij op een podium. Dan geeft hij Marietta een teken dat ze er ook op moet klauteren.

Hij vertelt dat het al een paar dagen niet meer alleen om de casting voor de reclamespot de regering gaat. Zijn firma heeft nu ook de opdracht gekregen een paar kinderen te casten voor een heuse film. Geen grote rollen, een paar korte scènes, die in een paar dagen opgenomen kunnen worden. Maar omdat het wel om belangrijke scènes in de film gaat, moeten de kinderen toch zorgvuldig gecast worden.

Ik hoor Trixi en een paar andere meiden verrukt gillen. 'Het moet allemaal nogal snel gebeuren,' vervolgt Flavio. 'Het voorbereiden van het draaien is al flink opgeschoten en nu hebben de kinderen die de rollen zouden spelen zich onverwachts afgemeld. Mazelen of roodvonk of zoiets ...' Hij wappert met zijn hand alsof hij een lastige vlieg wil verjagen. 'Ik zou voor die opdracht dan ook erg graag hier eens rondkijken, nu er toch zo veel kinderen zijn.' Hij kijkt naar ons over de rand van zijn zwarte bril.

Trixi wiebelt opgewonden van haar ene voet op de andere. Flavio zegt ook nog dat hij de toestemming van de ouders nodig heeft. Ouders die geen bezwaren hebben, zullen van mevrouw Dombrowski (dat is Marietta) een formulier krijgen. Maar het meeste van wat hij zegt, gaat verloren in het lawaai. Sommigen krijsen zo luid dat mijn oren ervan tuiten.

Ineens verdringen de ouders elkaar om bij Marietta te komen. Ik ben echt bang dat ze vermorzeld zal worden.

Op school moeten we altijd netjes in een rij staan. 'Dat moet ik in de vierde klas toch echt wel kunnen vragen!' zegt mevrouw Schmitz dan altijd. En wee degene die dan nog durft te dringen.

Vrijdag, iets voor vier uur

Eindelijk zijn de ouders weg uit de hal. Flavio's gezicht is helemaal rood en Marietta ziet er gehavend uit.

'Jeetje!' zegt ze en ze wrijft met een zakdoek over haar voorhoofd.

En dan begint het eindelijk op te schieten. Alle kinderen zitten nu op lange banken, als kippen op een stok. Katti en ik hebben nauwlettend rondgekeken en er inderdaad nog een paar gezien die we kennen. Pamela en Barbie zijn er, hoe kan het ook anders! En Otto uit onze klas. Otto is wereldkampioen negerzoenen eten en wilde altijd al acteur worden.

Jeetje!

Otto, the champion

'Ik vind het vreemd dat Leonie er niet is,' zeg ik.

'Ja, jammer!' zegt Katti grimmig. 'Ik heb haar gisteren verteld dat ik bij de selectie zit, maar ze geloofde het gewoon niet. "Bewaar je leugens maar voor je vriendinnetje Wanda," zei ze. Daarna liep ze stijf weg met haar nieuwe rijlaarzen. Ze liet me gewoon staan.'

'Typisch!' Ik zie haar stomme, wippende paardenstaart zo voor me.

Wat ze zoeken:

Voor de tv-spot.
5 kinderen; 3 meisjes + 2 jongens
Allemaal natuurlijk onvoorstelbaar
spontaan en levenslustig.

Bwenk!

Voor de film
Een jongen met bruin haar.
Moet er leuk uitzien en grappig zijn.
En een meisje.
Moet pienter en
olijk zijn.

Wat een
stom woord.

Onze Fabian!
is hij niet snoezig?

Deze
merking
is echt
ikt geheim!

Vrijdagavond

We hebben vandaag niet veel gedaan. Alle kinderen moesten een voor een naar voren gaan, hun naam zeggen en iets over hun lievelingsfilm vertellen.

'Ik heet Fabian Schilling en mijn lievelingsfilm is *Vakantie op Saltkrokan*,' zei Fabian. 'Dat is een oeroude Zweedse film. Ik heb hem nog niet gezien, maar mijn hond heet meneer Melcherson, vandaar ...' Hij grijnsde en trok aan zijn oorlelletje.

Ik hoorde heel goed dat Pamela en Barbarabarbie stom begonnen te giechelen.

Maar ik hoorde ook wat Flavio tegen zijn assistente zei: 'Heel leuk. Die komt in elk geval op de lijst voor de speelfilm.' Ik hoop dat de geiten dat ook hoorden.

Ik zit nu met mama en Marietta aan tafel voor het avondeten. Mama doet alweer zo vreemd. Ze speelt met haar eten en ze zegt geen woord.

Alleen Marietta praat als een waterval. ' ... en ik weet niet of het wel een goed idee was die tweede casting meteen na de eerste te doen. Nu praat iedereen alleen nog over de film. Het tv-spotje interesseert niemand meer.' Ze laat een hand door haar haar glijden. 'Er mag helemaal niks fout gaan, want dan hang ik.'

Mama zegt nog altijd niets. Lieve hemel! Ik heb me vandaag heel normaal gedragen. Als er iets verkeerd loopt, zal het zeker niet mijn schuld zijn. Mama heeft geen reden om zo somber te kijken.

Ik probeer haar gedachten af te leiden. 'Wanneer komt Bertfried eigenlijk nog eens?'

Ze staat op en loopt naar de keuken. Jeetje! Kan ik dan helemaal niets meer goed doen?

Nu staat ze al in de hal. Ik hoor haar snuffen en haar neus snuiten.

Marietta laat haar wijnglas tussen haar vingers draaien en staart naar het tafelblad.

'Vandaag heb ik toch helemaal niks uitgespookt!' Ik hoor zelf hoe jammerlijk dat klinkt. 'Of wel?'

Marietta heft haar hoofd op en kijkt me aan alsof ze een buitenaards wezen ziet.

'Wanda, dat heeft toch niks met jou te maken,' zegt ze.
Ze loert naar de deur, maar mama komt nog niet terug.
'Bertfried!' fluistert ze. 'Je mama heeft ruzie met Bertfried.'

Bertfried is
eigenlijk
smoorverliefd → smoorverliefd
op mama.

(Tenminste, dat was hij onlangs toch nog.)

Bertfried is
geluidsman
bij de televisie.

(Meestal
voor het
journaal.)

Weeeee!

'rijdagnacht

Ik kan alweer niet slapen. En Maja is ook onrustig vannacht. Ik sta op, knip het lampje van mijn bureautje aan en pak een stift.

ik voel me goed,

1. Omdat mama's slechte humeur niet door mij komt.

2. Omdat Bertfried eindelijk niet meer om mama heen draait.

3.  Omdat ik binnenkort een broertje of een zusje krijg.

DAG WANDA

Papa's vriendin Inge is al bolrond en de dokteres heeft gezegd dat het op zijn laatst over 3 WEKEN zover zal zijn.

ik voel me slecht,

1. omdat mama zorgen heeft.

2. omdat ik een beetje gemeen ben.

Waarom? → Ik ben blij dat Bertfried niet meer komt.

3. omdat ik uiteindelijk, alleen maar voor mama, wil dat hij toch nog komt.

4. omdat ik soms nog denk dat papa niet meer veel van me zal houden als zijn nieuwe kind er is.

Bwèèèk!   OF TOCH?

5. omdat ik naar die casting ga!!!

6. en omdat ik, ook alleen maar voor mama, niet zo brutaal kan zijn dat ze me de deur wijzen.

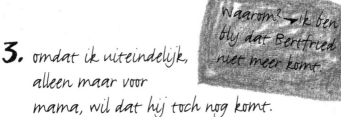

Ik knip het licht uit en wil weer in mijn bed kruipen. Bij het raam blijf ik even staan. De maan schijnt. In de tuin van de Schillings ziet alles eruit alsof het verzilverd is. In het huis is alles donker. Daar slaapt iedereen nu. Op de hele wereld is vast niemand meer wakker, behalve ik.

Maandagochtend

Gelukkig is dat me nog te binnen geschoten. We moeten met Otto praten. Hij mag absoluut niets verraden. Het heeft geen zin dat Katti en Fabian gezworen hebben op school niets te verklappen, zolang Otto daar rondloopt en alles eruit kan flappen tegen de meisjeshaters. Fabian heeft het wel tegen Renaldo gezegd, want die twee zijn boezemvrienden. Maar Renaldo houdt zijn mond wel.

Van Pamela en Barbie hebben we niets te vrezen, die zitten al in de vijfde klas. Zij willen vast en zeker niet dat iemand weet dat er ook papkindjes uit de vierde meedoen aan zoiets megacools als deze casting.

Ik heb met Katti en Fabian gepraat en nu staan we voor de school op de uitkijk. Daar zijn we een uur vroeger voor opgestaan.

Ik was bang dat mama dat vreemd zou vinden, maar het viel haar niet eens echt op. Ze liep te foeteren omdat de batterij van haar mobieltje leeg was. Ze belde het telefoonbedrijf op en vroeg of er iets mis was met onze verbinding. De mevrouw aan de andere kant wilde weten waarom ze dat dacht. 'De telefoon maakt geen geluid!' antwoordde mama schor. 'Dat komt vast doordat niemand u opbelt,' merkte de mevrouw op. Daarop holde mama naar de badkamer en sloot ze de deur.

Biep. Biep

Biep

Marietta!
Beweegt
nog als
een robot.

En alsof dat allemaal nog niet erg genoeg was, kwam Marietta toen ook nog eens aangesloft. Ze zette de koffiezetter aan en vroeg wat ik wilde eten. Maar ik maakte mijn muesli liever zelf. Met Marietta is 's morgens nog minder aan te vangen dan met mama, en dat wil wat zeggen.

Het lijkt een eeuwigheid te duren voor Otto er eindelijk aankomt. Gelukkig is hij nogal dik en echt onverstoorbaar. Anders kreeg hij zeker een hartaanval als we plots voor hem staan, hem bij zijn armen pakken en alle drie tegelijk tegen hem beginnen te praten.

Hij wacht gewoon tot we even zwijgen om adem te halen. 'Ik heb geen woord verstaan van wat jullie gezegd hebben,'

zegt hij dan. 'Maar ik wilde ook met jullie praten.' Hij wordt
rood, aarzelt even en plukt nerveus aan zijn stekelige haar. 'Ik
wilde jullie vragen aan niemand te verklappen dat ik naar die
casting ga,' zegt hij hortend.

Ik trap Katti op haar voet voor ze in de lach kan schieten.
'Prima!' zeg ik. 'Dat is nu net wat wij ook aan jou wilden
vragen!'

Eerst kijkt hij ons verbaasd aan. Maar dan komt Bernie
met zijn wrattenpadden van meisjeshaters de hoek om.

'Hé, Wanda!' brult Bernie. 'Val je nu ook al op
vetklompen?'

We kijken elkaar alleen maar even aan en niemand hoeft
nog uit te leggen waarom we beter allemaal onze mond
kunnen houden.

Waarom snoert niemand
die wrattenpad de
mond?

Maandagavond

Ik geef het op. Ik zal volwassenen nooit snappen.

We willen naar Paolo gaan. Paolo is onze favoriete Italiaan en we zijn er al een eeuwigheid niet meer geweest. Ik vind het dan ook fijn dat Marietta op het idee gekomen is ons uit te nodigen om met haar mee te gaan.

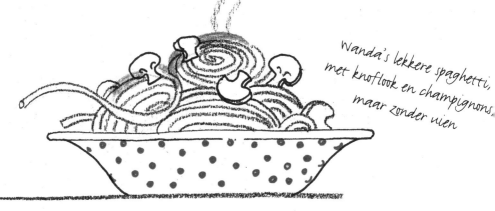

Wanda's lekkere spaghetti, met knoflook en champignons, maar zonder uien

Mama vindt het eten bij Paolo net zo lekker als ik. Waarom stelt ze zich dan zo aan? Het duurt een eeuwigheid voor ik doorheb dat ze bang is om Bertfried daar tegen te komen. Maar ik begrijp niet waarom. Ze heeft de hele middag bij de telefoon rondgedrenteld, omdat ze hoopte dat hij haar zou opbellen. En om de vijf minuten heeft ze de batterij van haar mobieltje gecontroleerd.

Marietta zegt dat Bertfried vanavond heel zeker niet naar Paolo zal komen. Ze was zo-even in de kantine, waar ook mensen van de tv komen. Daar heeft ze gehoord dat Bertfried met zijn ploeg in Stuttgart ging filmen.

Prima, denk ik, dan is alles oké en kunnen we gaan.

Maar ik zie duidelijk dat mama ook dat geen goed nieuws vindt.

Uiteindelijk zitten we toch bij Paolo. En wie door Paolo's knoedels geen blij gevoel krijgt, die kan gewoon niet meer geholpen worden.

Woensdagmiddag

Vandaag hebben we weer een afspraak voor de casting. Ik ga zonder morren in Marietta's auto zitten. Bertfried heeft nog altijd niet gebeld en mama ziet zo bleek als een spook in een oud kasteel. Als ik Bertfried nog eens zie, dan zal hij wat meemaken!

Zodra we in de hal komen, zie ik Trixi. Shit! Ik hoopte dat ze de vorige keer al naar huis gestuurd was. Maar ze staat daar, en ze vertelt een paar kinderen over haar werk voor de televisie.

45

Als we niet wisten dat ze toen nog maar drie was, dan zouden we bijna denken dat ze dat reclamespotje helemaal alleen gedraaid én geregisseerd had.

In de hal zien we eerst Otto en daarna Barbie en Pamela. Die twee glinsteren als de lichtjes van de kerstboom op de markt.

'Hé!' zegt Pamela en ze glimlacht als Cruella De Vil in *101 Dalmatiërs*. Dan paraderen ze verder.

'Sommige meiden schenken echt helemaal geen aandacht aan hun outfit,' hoor ik Barbie zeggen. Ze haalt haar neus op en kijkt om naar mij.

Wat bazelt die nu? Wat valt er aan te merken op mijn favoriete T-shirt?

Vandaag begint het echte werk. We worden gefilmd. Iedereen moet een korte tekst opzeggen, maar eerst worden onze neuzen gepoederd. De tekst staat op velletjes papier, die Marietta uitdeelt. Het zijn maar vier zinnetjes, die we zo goed mogelijk moeten voorlezen. Meer is het echt niet. Ik begrijp dan ook niet waarom sommigen zich aanstellen alsof we een heel woordenboek vanbuiten moeten leren.

De ergste van allemaal is een blonde meid, die de tekst onophoudelijk afraffelt. En Trixi, natuurlijk. 'Hoe is het ook alweer?' kreunt die voortdurend. 'Ik onthou dat nóóóit!'

Het lukt me Lara-Jane (zo heet die blonde) te laten zwijgen. Ik zeg dat ze haar stem moet sparen.

'Wie hees is, vliegt er meteen uit,' voegt Fabian er nog aan toe.

Het is veel moeilijker om Trixi te laten zwijgen. Ze houdt maar niet op met jammeren.

Ik vraag hoe ze dan de tekst voor de mueslireclame kon onthouden.

'Toen had ik geen tèèèèèkst!' roept ze en ze kijkt ons aan met ogen als schoteltjes.

Ik vind het stom dat Katti weer een van haar lachstuipen krijgt. En ik vind het ook stom dat Fabian daarna zegt: 'Hou op, want anders word je almaar heser en hese deelnemers vliegen eruit.' Want daar moet ik ook om lachen. En Fabian lacht natuurlijk mee. En als we dan eindelijk onze naam horen afroepen, krijgen we bijna geen lucht meer van het lachen.

'Je moet je wel een beetje kunnen beheersen,' hoor ik Pamela tegen Barbie zeggen. 'Anders maak je hier echt geen enkele kans.'

Dat is de cameraman.

Flavio zit daarginds.

'Juist,' zegt Trixi. 'Dat zei mijn regisseuse toen ook.'
Ik schiet bijna weer in de lach. Maar de deur valt achter me dicht. Ik sta voor de camera en moet mijn tekst opzeggen.

Heel even denk ik dat ik hem vergeten ben. Ik adem diep in en dan schiet hij me weer te binnen:

Eh ...

De hele dag achter mijn computer zitten terwijl buiten de zon schijnt? Dat is niks voor mij. Ik trek liever de natuur in om krijgertje te spelen met mijn vrienden of in de appelboom voor ons huis te klauteren. En als het regent, lees ik een goed boek.

Als ik klaar ben, kijkt Flavio me aan alsof hij nog iets verwacht. Maar ik heb geen tekst meer. Dat was alles. Toch blijft hij me zo vreemd aankijken …

'Klonk nogal stom, hè?' Ik vraag dat een beetje schuchter, want ik wil niet dat mama en Marietta me brutaal vinden. 'Ik bedoel ... zo praat toch niemand?' voeg ik er snel aan toe. En omdat Flavio nog altijd niets zegt: 'In elk geval niemand die ik ken ...'

O shit! Waarom kan ik niet gewoon mijn mond houden?

Maar nu glimlacht Flavio. Als hij glimlacht, vind ik hem best wel leuk.

'Je bedoelt dat jij dat allemaal niet zou doen?' vraagt hij. 'Je vindt dat niet cool?' Het klinkt alsof hij het echt wil weten.

'Jawel, hoor. Ik zou het wel doen. Ik klauter heel graag in onze appelboom en lezen doe ik ook. Ik lees veel. Maar ...'

'Maar?' vraagt Flavio.

'Ik zou er niet zo stom over praten. Een goed boek ... Pf! Zoiets zegt zelfs mijn oma niet.'

'Dank je, Wanda,' zegt Flavio en nu glimlacht hij niet meer.

Nu heb ik het zeker verknald. Stom, en ik ben niet eens blij.

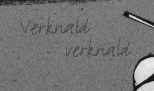

verknald
- verknald

Ik kijk vast beteuterd als ik weer in de hal kom. Anders zouden de twee oppergeiten niet zo triomfantelijk grijnzen. Trixi heeft er niets van gemerkt. Zij verkreukelt haar tekstblad in haar hand en kijkt alsof ze levend geroosterd zal worden.

Nog altijd woensdagmiddag

We hebben van de filmmakers allemaal een flesje limonade gekregen. Nu zitten we hier samen te wachten. De anderen wachten op hun ouders, die hen komen ophalen. Katti, Fabian en ik wachten op Marietta. Maar die komt niet. Er is duidelijk ergens een probleem. We zien Flavio door zijn haar strijken, dat hij niet heeft, en horen hem 'Zo kan ik niet werken!' roepen. Marietta rommelt ondertussen in een stapel papieren.

Nu vraagt ze hem iets en hij trekt een blad uit de stapel. Hij houdt het voor haar neus en tikt er met de rug van zijn hand tegenaan. Ze leest het en steekt wanhopig haar armen in de lucht. Hij vertrekt zijn gezicht en blijft tegen haar praten. Dan draait hij zich met een grimmig gezicht om en wijst ... naar mij!

Marietta spert haar ogen open, kijkt over haar schouder alsof ze me voor het eerst ziet en zegt dan weer iets tegen Flavio.

Ik probeer me zo klein mogelijk te maken, maar het heeft geen zin.

'Tja, Wanda!' zegt Barbie en ze grijnst als een nieuwslezeres die gif ingenomen heeft. 'Het lijkt erop dat je pech hebt vandaag.'

'Ach, trek het je niet aan,' fluistert Pamela me mekkerend toe. 'Dan probeer je het een andere keer maar gewoon opnieuw.'

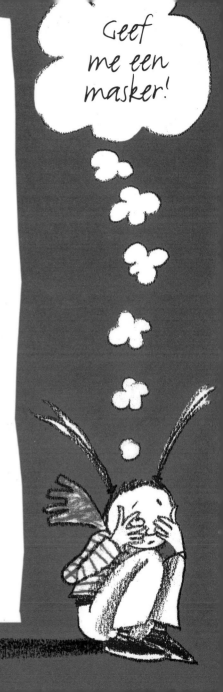

Geef me een masker!

'Vergeet het maar,' zegt Barbie. 'Met zo'n uiterlijk heeft ze geen schijn van kans.'

Nu word ik rood. Donkerrood! En ik begin te brullen. Dat de dag dat ze me hier de deur wijzen mijn geluksdag zal zijn. Dat ik nooit aan een stom tv-programma wil meedoen en dat ik nog liever doodga dan dat ik ergens levensgroot op een stom aanplakbord geplakt wordt. En dat ik iedereen stom vind die aan niets anders meer kan denken.

Katti legt haar hand op mijn knie, maar ik moet blijven brullen. Anders ga ik huilen. Ik wil niet huilen, maar er zitten tranen klaar voor als ik stop met blèren. Dan zullen ze rustig uit mijn ogen kunnen rollen …

Ik slik, bijt mijn tanden hard op elkaar en adem diep in en uit door mijn neus. Nu gaat het wel weer.

Barbie heeft haar nagelvijltje gepakt. Ze slaat haar benen over elkaar. 'Niemand heeft je toch gedwongen om mee te doen?' zegt ze op zo'n stom, verveeld toontje.

Pamela laat een kauwgumbel uit elkaar klappen. 'Echt!' zegt ze. 'Dus dan hoef je hier ook niet de zaak op te houden!'

Ik wou dat Pamela wegvloog in haar kauwgumbel.

Woensdag, tegen de avond

Het duurt een eeuwigheid voor Marietta naar ons toe komt. De anderen werden haast allemaal al opgehaald. Alleen Trixi is er nog en twee oudere meisjes zitten samen in een magazine te bladeren.

Marietta ziet er nerveus uit. Maar ze kijkt ons wel glimlachend aan. 'Lieve hemel, Fabian!' zegt ze. 'Jij bent blijkbaar een natuurtalent. Je bent onze favoriet voor de speelfilm. Met afstand de beste! Onbegrijpelijk, toch?'

Fabian grijnst en trekt weer aan zijn oorlelletje.

'Echt?' vraagt hij.

'Echt!' zegt Marietta en ze legt haar arm om zijn schouders.

Nu wordt hij ook nog rood.

Ik hou het haast niet meer uit.

Katti port me in mijn zij. Ook zij grijnst. Ik zou wel eens willen weten wat er te grijnzen valt.

Er is er maar één die niet grijnst: Trixi. Zij kijkt Fabian aan alsof ze net een hele koffer goud ontdekt heeft. En als we naar buiten gaan, loopt ze zo dicht bij hem dat haar krullen in de knopen van zijn spijkerjasje blijven hangen. Lieve hemel!

Woensdagavond

Tijdens het avondeten kom ik eindelijk te weten wat er vandaag met Flavio aan de hand was. Marietta vertelt het me, terwijl ze zich ondertussen volpropt met mama's lekkere pannenkoeken met blauwe bosbessen. Ze lijkt niet echt door te hebben wat ze aan het eten is.

'Je gelooft het nooit, Ilse. Toen we die spot aan het voorbereiden waren, hadden we de hele tijd het gevoel dat er iets fout zat. Het schoot gewoon niet op … Je kent dat wel … Het was gewoon niet …' Ze prikt met haar vork in een pannenkoek alsof ze die wil vermoorden.

'Spontaan en levenslustig!' zeg ik geprikkeld.

'Juist!' Marietta glimlacht heel even naar me, maar draait zich daarna meteen weer naar mama toe. 'En vandaag hebben we ontdekt wat er mis was. Het was het draaiboek. En nu mag je raden wie ons dat duidelijk gemaakt heeft …' Ze zwaait met haar armen als een circusdirecteur die zijn lievelingsleeuw voorstelt aan het publiek. 'Je dochter! Wanda!'

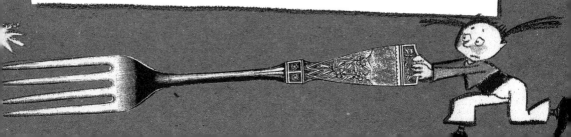

Ik verslik me in mijn appelsap. Terwijl Marietta verder vertelt, moet ik de hele tijd hoesten. Pas als ik weer gewoon kan ademen, kan ik ook eens iets zeggen. 'Bedoel je nu dat niemand boos op me is?'

'Hoe kom je dáár nu bij?' vraagt Marietta.

Ze kunnen op mijn deur bonken zo lang ze willen, ik kom er niet meer uit. Nooit meer! En met hen praten doe ik al helemaal niet meer. Ik vind hen gemeen.

Ik bedoel, eerst zijn ze superlief voor me, zoals gisteravond. We bleven toen nog lang in de keuken zitten. Mama, Marietta en ik. Niemand stuurde me naar bed en we babbelden over van alles. Zelfs over het gedoe met Bertfried. En nu dat! Ik kan het nog altijd niet begrijpen.

Lieve hemel! Ik lijk wel omgeven door bijziende vissen!

Vanmorgen bracht meneer Schilling ons naar school. Fabian en mij. En in de auto legde Fabian me een paar keimoeilijke sommen uit. Daardoor letten we niet op wat er op straat gebeurde. En daardoor was ik ook helemaal niet voorbereid op wat me op school te wachten stond.

Toen we daar aankwamen, stonden alle meisjeshaters naast elkaar op een rij. Alsof ze op de Kerstman wachtten. Maar zodra ik uitstapte, begonnen ze te roepen.

'Daar hebben we ons gelukkige kindje!' snaterde Bernie.

'Wat maakt jou eigenlijk zo gelukkig?' krijste Yakup.

'Ze heeft vast weer een nieuw liefje!' joelde Tom. 'Wie is het deze keer, Wanda?'

Ik kon er geen touw aan vastknopen. En dat vind ik nog het gemeenste van alles: dat niemand me er vooraf iets van gezegd had.

Katti verscheen pas toen we al in de klas waren. En toen werd het pas echt erg.

'Waarom heb je me er niks van gezegd?' vroeg ze verwijtend.

Ik wilde vragen waar ze het eigenlijk over had, maar mevrouw Schmitz riep dat we stil moesten zijn. 'Ik moet in de vierde klas toch echt wel kunnen vragen dat het aan het begin van de les een beetje rustig is,' voegde ze eraan toe.

En net toen ik diep inademde om eindelijk even met Katti te kunnen praten, haalde ze ons nog uit elkaar ook.

Pas in de pauze begreep ik waar iedereen het over had. Katti trok Fabian en mij mee, weg van het schoolplein. Dat is streng verboden, maar Katti zei dat het belangrijk was. En dat ze het ons moest laten zien als we het nog niet gezien hadden.

Het hing voor de spaarbank op een reusachtig aanplakbord. *Gelukkige kinderen zijn onze toekomst.* **Unicef** stond er onder een foto. En het gelukkige kind was ik. Kolossaal groot! Mijn neus alleen was al zo groot als papa. Het was de foto die piepklein in een folder van Unicef zou verschijnen ...

Zodra we weer in de klas kwamen, kregen we het natuurlijk aan de stok met mevrouw Schmitz. Iemand had ons verklikt, en we hoefden geen twee keer te raden om te weten wie dat was.

Toen kwam Otto er ook nog aan. Hij gaf me een hand en feliciteerde me. Heel lief. Blijkbaar is hij de enige die de zaak van het aanplakbord leuk vindt. Ik begon zelfs te huilen. Shit!

'Wanda!' snaterde Bernie meteen. 'Je verknalt onze hele toekomst met je gesnotter!'

Zijn vrienden kregen de slappe lach, maar jammer genoeg stikten ze daar niet in.

Donderdag, erg laat

Het is me gelukt mama te ontwijken. Marietta kwam voor mijn kamerdeur wel zeggen dat er spaghetti was. Ze vroeg of ik wilde mee-eten, maar ik antwoordde niet.

Wat later kwam mama ook. Ze riep dat het haar vreselijk speet. Dat het een misverstand was.

Dat kan ze de kat wijsmaken.

Wat later kwam ze nog een keer. Toen smeekte ze bijna of ik iets wilde komen eten.

Maar ik gaf nog altijd geen kik. Al was het maar omdat ik mijn mond vol pizza had, die Fabian me gebracht had.

Laat die twee daar beneden maar denken dat ik aan het verhongeren ben. Dat kan me niets schelen.

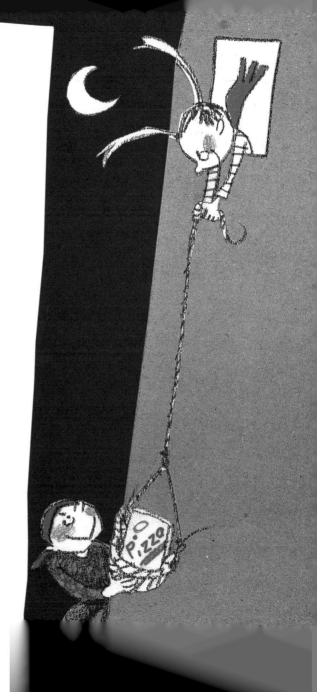

schrei ~~Vrijdag~~

Eigenlijk wilde ik vanmorgen wel weer met mama praten.
Maar ik zag de krant op tafel liggen. Met de advertentie van
Unicef. Toen vertok ik maar meteen. Zonder ontbijt.

Vrijdagmiddag

Mama is er vanmiddag niet. Ze
heeft in de stad een afspraak, in
verband met foto's. Het eten staat
in de magnetron, maar ik raak het
niet aan. Ik ga naar Inge. Die zegt
toch vaak dat ik haar altijd mag
opzoeken.

Liefste Wanda

Eet alsjeblieft iets.
Het eten staat in de
magnetron.
Het is je lievelingseten!!!!

Kusje mama

Bij Inge is er tofoegoulash. Dat
ontbrak er nog maar aan!
Maar ik eet er zonder morren toch
een heel bord van leeg.
Inge is blij en ze laat me de nieuwe
kinderwagen zien. Ze wil dat ik blijf
tot papa thuiskomt, maar ik moet
weer door naar die casting.

Vrijdagmiddag, iets voor 3 uur

Meneer Schilling brengt ons naar de filmstudio's. Gelukkig
maar. Want ik zou nu echt niet met Marietta meegereden
zijn. De weg van de Ulandstraat naar de studio's is behoorlijk
lang. We moeten dwars door de hele stad. En daar hangt
op elke hoek zo'n bord van Unicef. Ik laat me heel diep
onderuitzakken en knijp mijn ogen dicht.

Maar ik kan er niet aan ontsnappen. Want elke keer dat ze zo'n bord zien, beginnen Katti en Fabian keihard te roepen. En ze roepen erg vaak. Het is vreselijk.

'Wanda, jij bent echt beroemd!' zegt meneer Schilling op die vreemde volwassenentoon waar ik zo'n hekel aan heb.

'Humpf!' doe ik alleen maar. Verder zeg ik niets.

Als we aankomen, is iedereen al naar binnen gegaan. De groep is veel kleiner dan toen we begonnen.

'Er blijft alleen een veelbelovend groepje over,' zei Marietta onlangs. En ze denkt dat ze waarschijnlijk erg goed kunnen werken met wie er nu nog bij is. Maar ik zie echt niet in wat er veelbelovend is aan Barbie, Pamela of Trixi.

Zoals gezegd, iedereen is al binnen. Voor de hal staat nog maar één iemand. Trixi. Ze lijkt op iemand te wachten.

Als ze ons ziet, begint haar hele gezicht te stralen. 'Fabian!' roept ze. 'Ik dacht al dat je niet meer zou komen!

Vandaag moeten elke keer een jongen en een meisje samen een scène spelen!' Ze haakt bij hem in en trekt hem mee. 'En ik dacht zo dat wij dat misschien samen konden doen.'

Fabian kijkt nog even naar ons, maar dan haalt hij zijn schouders op en laat hij zich overrompelen door haar geklets.

ik wou dat ik Trixi voor een tijdje in zoiets kon omtoveren.

OF IN ZOIETS.

'Dat zou toch leuk zijn, Fabian? Ik bedoel, ik heb al ervaring met televisiewerk. Dus jij kunt je dan helemaal op mij verlaten.' Trixi schudt haar krullen uit haar gezicht en knippert met haar ogen als een volkomen dolgedraaide slaappop.

Katti kijkt het duo met open mond na.

'Dat kan toch niet,' fluistert ze.

'En of dat kan!' brom ik. Ik schop zo hard tegen een steen dat die met een harde knal tegen de ijzeren poort van de hal vliegt.

Lieve hemel, de poort van de hal!

'Ik moet naar binnen,' zucht ik. Maar ik blijf staan als een koppige ezel.

'Ja, tuurlijk!' Katti klinkt ongeduldig.

'Ze hebben vast allemaal die aanplakborden gezien!' kreun ik.

'Nou en?' zegt Katti. 'Je staat er toch niet in je blootje op?'

Ik kerm zachtjes. Maar Katti pakt me bij mijn schouders en schudt me door elkaar. Heel zachtjes, hoor. Een kleine tel raakt haar neuspuntje mijn neuspuntje. Ze kijkt me diep in mijn ogen.

'Het is een heel leuke foto van je,' zegt ze. 'Zeker weten! Ik durf te wedden dat Leonie geel ziet van nijd en dat ze zich nergens meer durft te vertonen.'

'Denk je?' vraag ik, nog altijd een beetje aarzelend. Maar als ik me een gele Leonie voorstel, moet ik toch lachen.

In de hal zien we meteen Barbie en Pamela.

'Wanda!' roept Pamela. 'Je leeft dus toch nog! We dachten dat je nog liever zou doodgaan dan dat je op zo'n aanplakbord zou hangen.'

Barbie staat erbij en grijnst zo boosaardig als de stiefmoeder van Sneeuwwitje. Ik gooi mijn hoofd in mijn nek, adem diep in, kijk zo verwaand als ik maar kan en loop door.

'Geel van nijd!' zegt Katti en ze wijst met haar duim over haar schouder.

'Staat haar goed, dat geel!' zeg ik.

We wachten met giechelen tot we de hoek om zijn.

Vrijdagmiddag, half vier

Marietta is er nog altijd niet. Is maar beter ook. Flavio heeft gezegd dat ze een afspraak heeft met de schrijvers van het draaiboek van de tv-spot. Daarna bedankte hij me voor die toestand met de tekst. En de oppergeiten hoorden dat! Dat vind ik geweldig. Nu mijn foto overal hangt, gapen ze me toch al voortdurend met koeienogen aan. En dan fluisteren ze iets. Vast en zeker niets leuks.

Trixi blijft de hele tijd bij Fabian. En die laat dat gebeuren. Tenminste, hij doet er toch niets tegen.

'Straks wordt hij nog verliefd op haar!' Katti trekt een gezicht alsof ze een stuk bedorven vis gegeten heeft.

'Dat geloof ik niet!' zeg ik. Maar ik weet het niet zeker. Tenslotte was Fabian onlangs al eens verliefd. Op Laura. Maar Laura was tenminste leuk en mooi.

We moeten echt een korte scène met z'n tweeën spelen.

'Ik doe dat met Fabian Schilling!' riep Trixi meteen.

Katti en ik zwaaiden met onze armen alsof we wild geworden waren. We wilden Fabian een teken geven dat hij nee moest zeggen. Nee, ik doe dat liever met mijn beste vriendinnen. Maar hij keek niet eens in onze richting. Alleen maar naar zijn schoenen. En Flavio vond het meteen een goed idee. En toen was het te laat. Ik kon die twee alleen nog maar nakijken toen ze wegwaggelden. Fabian met zijn haar dat me altijd aan Huckleberry Finn doet denken, en Trixi met haar stomme namaakkrullen.

Wat is er nu zo waanzinnig interessant aan schoenen??

Ik zal de scène dan maar met Otto spelen. Het is een scène voor de film. Het tv-spotje moet eerst nog herschreven worden. Flavio knipoogde naar me toen hij dat zei.

'De lelijke en het beest, dat zal wat worden!' sist Barbie als Otto en ik langs haar in de richting van de camera lopen.

Maar Otto haalt alleen zijn schouders op. 'Karlsson van het dak!' zegt hij.

'Hè?' doe ik.

Hij grijnst. 'Ken je dat niet? Dat zegt die altijd.' En hij imiteert Karlsson van het dak voortreffelijk: 'Dat stoort geen grote geest!'

'Tuurlijk ken ik dat!' zeg ik. 'In het boek van Astrid Lindgren!'

Dan zijn wij aan de beurt. We moeten spelen dat we op de vlucht zijn voor een moordenaar. Otto is keigoed. Hij laat me zelfs even vergeten dat het niet echt is. Ik weet zeker dat hij een fantastisch acteur zal worden. Dat zeg ik hem ook als we klaar zijn. Stom genoeg komt Fabian precies op dat moment naar me toe om met me te praten, maar merk ik dat pas als hij weer weggaat.

VRIJDAGMIDDAG, iets na vier uur

Waarom is Katti nergens meer te zien? En waarom is Fabian opeens zo op zijn teentjes getrapt? En waarom moet ik de hele tijd aan mama denken?

Ineens kan ik er niet meer tegen dat we al zo lang niet meer met elkaar gepraat hebben. Zo lang hebben we nooit eerder ruzie gehad. Ik heb het gevoel dat ik nu meteen met haar moet praten. In mijn portemonneetje zit een telefoonkaart. Voor alle zekerheid. Ik vind dat iets middeleeuws, dat heb ik mama al duizend keer gezegd. Maar pas als ik elf ben, krijg ik een mobieltje. En stom genoeg zijn papa en mama het juist daarover volkomen met elkaar eens.

Ik trek aan de mouw van een man die voorbijloopt met een kabelhaspel.

'Ik denk dat er in de kantine nog zo eentje staat,' mompelt hij als ik hem mijn kaart laat zien. 'De poort uit en dan naar links!'

VRIJDAGAVOND,
half vijf of later

Ik ben naar links gelopen en dan altijd rechtdoor, maar nergens heb ik een kantine gezien. Alleen maar een hal, waar boven de deur *Stilte! Opname!* staat. Er wordt net een film opgenomen en dan mag je niet naar binnen, dat weet zelfs het kleinste kind. Ik ben daarna nog een keer naar links gelopen en nog een keer. Denk ik. En nu heb ik geen idee meer waar ik ben. Die loodsen zien er allemaal precies hetzelfde uit. Bijna dan toch. In de steegjes ertussen waait een echte pokkenwind en er is niemand aan wie ik iets kan vragen. Net kwam er wel een man met een zonnebril met spiegelglas aan, maar ik voelde er niets voor om hem aan te spreken. En aan die vent met zijn sombere gezicht die nu zo snel de hoek om loopt dat hij bijna struikelt, wil ik ook niets vragen.

Ik heb het koud en misschien gaat het straks regenen en ik vind de kantine niet en ik heb geen telefoon en de weg terug ben ik kwijt. Ik wil nu meteen met mama praten. Maar misschien wil zij wel helemaal niet meer met mij praten? Ik veeg met mijn mouw over mijn ogen. Huilen is verboden. Echt verboden!

Daarginds lopen een paar mannen. Ze hebben apparaten bij zich. Een van hen heeft een braambessenkleurig jasje aan. Precies dezelfde kleur als oma's lievelingsjam. Ik begin te lopen. Vreemd hoor, ik had nooit gedacht nog eens blij te zijn Bertfried te zien.

'Wanda!' roept hij. 'Wat doe jij hier?'

En ik kan niet meteen iets zeggen. Ik moet alweer bijna huilen.

Waarom bestaan er eigenlijk geen pilletjes tegen stomweg huilen op het verkeerde moment?

Bertfried gebaart dat de anderen maar moeten doorlopen.

'Kom, we gaan vlug naar de kantine,' zegt hij. 'Je ziet eruit alsof je aan een kopje warme chocolademelk toe bent.'

'Ik moet eerst dringend met mama bellen,' zeg ik.

Bertfried geeft me zijn mobieltje. Maar mama is niet thuis en haar mobieltje staat niet aan.

Antihuil-
druppeltjes

'Ik krijg alleen haar voicemail,' zeg
ik en nu moet ik toch huilen. Zo erg
dat het niet eens helpt dat ik op mijn
lippen bijt.

Vrijdagmiddag, *vijf uur of zo*

We hebben chocolademelk gedronken en ik heb Bertfried
alles verteld. De hele rimram. Hij heeft geluisterd en zelfs een
keer zijn arm om mijn schouders gelegd. Heel even maar.
Mijn neus werd een paar tellen in de braambessenkleurige
stof geduwd. Het rook zoals onze tuin in de herfst. Nu zegt
hij dat het allemaal een misverstand kan zijn. Dat mama vast
niet wist dat mijn foto op die aanplakborden zou belanden.
En ineens begrijp ik dat hij gelijk heeft. En ik vertel hem ook
dat ze gisteravond met me wilde praten, maar dat ik de deur
van mijn kamer niet eens opendeed.

'Wat erg!' zegt hij. 'Door zoiets raakt ze helemaal overstuur, dat weet ik zeker.'

'Hoor wie het zegt!'

Hij kijkt me niet-begrijpend aan.

'Kijk maar niet zo onschuldig!' zeg ik ontstemd. 'Je hebt mama al dagen niet opgebeld en door jou heeft ze ruzie met de mevrouw van het telefoonbedrijf. Mama dacht dat er iets mis was met onze telefoon. Ze huilde omdat die mevrouw zei dat de verbinding prima in orde is en omdat dat stomme ding toch niet rinkelt en …'

'Nee!' roept Bertfried en hij pakt me bij mijn arm. 'Is dat echt waar?' Hij springt op en host met me door de kantine. Gelukkig zijn we hier alleen. Anders zou ik het echt pijnlijk vinden.

Daarna vertelt hij me dat het mama was die zei dat ze hem niet meer wilde zien. En dat er een heleboel misverstanden tussen hen ontstonden. En dat hij echt geloofde dat Ilse, mama dus, niets meer van hem wilde weten. En dat de laatste dagen de vreselijkste van zijn hele leven geweest zijn. En dat hij nu heel zeker weet dat er nooit een andere vrouw in zijn leven kan komen dan mijn moeder.

Hij moet nu echt even op adem komen, maar ik heb geen idee wat ik zou kunnen zeggen. Maar dan praat hij al verder. En nu wel als een normale volwassene.

'Ik heb natuurlijk wel gemerkt dat je het vaak niet met me eens bent, Wanda. Maar we kunnen stilaan misschien wel aan elkaar wennen?' Hij glimlacht en kijkt me aan over de rand van zijn bril.

'Stilaan, misschien!' zeg ik. Maar ik grijns wel, en ineens merk ik dat ik er niets meer op tegen heb aan hem te wennen. Echt niet!

VRIJDAGAVOND

We hebben mama toch nog kunnen bereiken. Bertfried en ik. En daarna heeft hij me naar huis gebracht. Mama was helemaal overstuur. De mensen van de casting hadden haar opgebeld en tegen haar gezegd dat ik plotseling verdwenen was.

Daarna hebben we elkaar omhelsd. Zo hard als we konden. Mama huilde en ik begon ook bijna weer. Maar vreemd genoeg kon ik me beheersen.

Marietta was er ook. Ze stond er een beetje verlegen bij, net als Bertfried. Ik zei tegen mama dat ik niet meer boos op haar was. Echt niet. En mama zei dat zij ook niet boos was en dat ze het gedoe met die foto vervelend vond. Daarna liet ze me eindelijk los en keek ze naar Bertfried. En hoe!

Marietta legde haar arm om mijn schouders. 'Wij zullen er maar vandoor gaan!' zei ze.

Nu zitten we hier al een eeuwigheid met ons tweetjes bij
Paolo. Ik heb honger als een paard, maar we wachten met
bestellen tot de anderen er ook zijn.

Het duurt eindeloos lang voor de deur eindelijk opengaat
en mama en Bertfried binnenkomen. Ze lopen arm in arm
en stralen zo erg dat de andere gasten naar hen omkijken. Of
draaien ze zich misschien om omdat Katti en Fabian als twee
wilde apen door het restaurant op me toestormen?

'Lieve hemel, Wanda! We hebben overal naar je gezocht!
Waar was je toch? We belden thuis bij je aan en je moeder zei
dat je weer opgedaagd was. Ze heeft ons maar meteen mee
hiernaartoe genomen.'

'Ik was verdwaald!' zeg ik. Ik ben zo blij dat ik hen in hun
ribben por. 'Het is een wonder dat jij gemerkt hebt dat ik
verdwenen was,' zeg ik tegen Fabian. 'Je had alleen maar oog
voor Trixi.'

Ik grijns wel, maar Fabian wordt toch boos. 'Goeie genade!'
foetert hij. 'Waarom deden jullie niks?'

'We dachten dat je het wel leuk vond,' zegt Katti. En dan doet ze Trixi's aanstellerige manier van spreken heel knap na: 'Wij worden echte filmsterren, hè, Fabian? Jij met je talent en ik met al mijn tv-ervaring. Toch, Fabian?'

Fabian kreunt en verbergt zijn gezicht achter de menukaart. Katti knipoogt naar me en begint te giechelen.

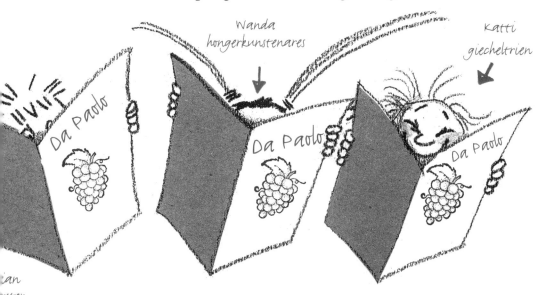

Maar ik kan niet giechelen. Ik wil alleen maar eten.

Als eindelijk het eten wordt opgediend, wordt het ineens heel erg stil aan tafel. Mama vertelt dat ze verschrikkelijk geruzied heeft met haar agent, omdat die de verkeerde foto voor het aanplakbord doorgegeven heeft. Hij beweert dat hij de foto's per ongeluk verwisseld heeft.

'Maar ik ben er zo goed als zeker van dat het met opzet was,' zegt mama. 'Wanda's foto was gewoon veel beter. Ze zullen wel gedacht hebben dat het toch geen halszaak zou worden, aangezien de fotografe ook de moeder is. Want meestal groeit zoiets uit tot een echt schandaal. Het meisje dat eigenlijk op de aanplakborden moest staan, is natuurlijk ook ontzettend kwaad. Het agentschap zal haar nu een schadevergoeding moeten uitbetalen.' Mama drinkt een slokje water. 'Ik vind het echt heel erg, Wanda. Maar jammer genoeg kunnen we er niks meer aan doen. Je foto hangt al op de borden. En ik werk altijd zo goed met hen samen dat ik het niet over mijn hart kan verkrijgen nog meer ruzie te maken. Maar ik heb besloten …' Ze wijst met haar hoofd naar haar vriendin. 'Marietta en ik hebben samen besloten … Als je het allemaal echt zo erg vindt, dan moet je maar niet meer naar die casting gaan.'

Marietta knikt. 'Je kunt ermee ophouden wanneer je maar wilt,' zegt ze. 'Geen enkel probleem. Ik wist helemaal niet dat je het zo vreselijk vindt.'

Ik pak mijn glas op en kijk hen beurtelings aan.

'Nee, laat maar,' zeg ik na een paar tellen en ik grijns. 'Nu gaan we er ook mee door. Ik hoef tenslotte niet in mijn blootje op te treden.' Ik knipoog naar Katti. 'En er lopen daar een paar geiten rond die we graag een poepje willen laten ruiken.'

'Het is een erezaak!' zegt Katti.

Daar proosten we op. Katti, Fabian en ik. Gelukkig maakt appelsap geen vlekken.

Mama en Marietta kijken alsof ze er nu helemaal niets meer van snappen. Maar dat geeft niet. Wij begrijpen meestal ook niets van de volwassenen.

Waarom wil ik ineens toch naar die casting???

Ik wil op tv komen ← NEE

Ik wil actrice worden ← NEE, NEE en nog eens NEE

Ik wil de oppergeiten een poepje laten ruiken ← JA!

Ik wil bij Katti en Fabian zijn ← Ja, ja, ja!

Er heeft iemand geroddeld. Wist ik maar wie. Renaldo heeft iets gehoord. Hij is gisteren naar een voetbalwedstrijd gaan kijken. Toen hij terugkwam, zat de hele meisjeshaterskliek achter hem in de bus. Ze wisten niet dat hij daar zat en hij hoorde alles wat ze zeiden.

'Ze zijn in elk geval nog altijd pisnijdig,' vertelt Renaldo. 'Vooral Tobias. Die heeft vreselijke ruzie met zijn vader, omdat hij zijn fiets nog altijd niet teruggevonden heeft. En dan is er nog de zaak van de vuurwerkspullen. En met de anderen gaat het niet veel beter.'

'Lieve hemel!' roept Katti. 'Ze zijn gewoon te laf om het ons te vragen. We zouden hun meteen zeggen waar we hun stomme vehikels verstopt hebben.'

Renaldo kijkt bezorgd.

'Ja, maar toch … Ze vinden het geen spelletje. Ik wil dat je dat weet. Ze hebben gezworen dat ze zich zullen wreken.'

'Pf!' doet Katti en ze stroopt haar mouwen al op.

'Hoe dan ook, ze weten het van de casting!' vervolgt Renaldo. 'En via Toms vader kunnen ze op dat terrein komen.'

'En dan?' Fabian haalt zijn schouders op. 'Laat ze maar komen.'

Renaldo fronst zijn voorhoofd. 'Bij Toms vader op zolder hebben ze een kist vol oude tondeuses gevonden. En Lucki had het over een rol touw, uitstekend om kalveren mee vast te binden.'

Nu proest Katti het uit. 'Willen ze ons misschien scalperen?'

Renaldo knikt. Hij vindt het blijkbaar allemaal niet grappig. 'Voor de draaiende camera!' zegt hij.

Die zijn toch echt te oud om nog indiaantje te spelen.

Maandag, twaalf uur

'Renaldo gelooft dat echt!' zeg ik tegen Fabian als we met ons drietjes naar huis gaan.

Katti giechelt. 'Ik denk dat ze veel durven, maar dat niet!'

Ik knik. 'Ze hebben daar maar gewoon wat over gekwebbeld. Wij hebben toch ook al eens gezegd dat we hen in kokende olie zouden gaan dompelen?'

'Ja,' snuift Fabian. 'Dat zou Renaldo vast ook geloofd hebben als hij het gehoord had. Zo is hij nu eenmaal.'

Maandag

Ik ga naar Fabian. Katti is vanmiddag in haar geliefde paardenstal bij Caruso, mama is gaan wandelen met Bertfried.

Fabian en ik kijken naar een dvd.

'Wil je eigenlijk écht meespelen als ze je voor die speelfilm willen hebben?' vraag ik.

Fabian bloost. 'Eigenlijk hebben we gezegd dat we ermee ophouden voordat het zover is.' Hij trekt weer aan zijn oorlelletje.

'Ja, dus?' Ik gooi hem een knuffelaap naar zijn hoofd.

Hij kijkt erg geboeid naar het tv-scherm. Maar ik zie wel dat hij ineens straalt als een spotlight.

Dinsdag

Echte
geitenbokker

'Hallo, Wanda, superster!' zegt Bernie als we na het derde lesuur naar de gymzaal gaan. 'Wat heb je leuk haar!' Hij draait zich om naar zijn makkers, die zoals altijd achter hem aan hollen. 'Heeft ze geen keileuk haar, mannen?' De hele kliek begint te lachen als een stel mekkerende geiten.

MEKKER
MEKKER

MEKKER

Wiskundewoensdag

Wiskunde. We gaan vraagstukken oplossen.

'O nee!' laat ik me ontvallen als mevrouw Schmitz de bladen ronddeelt.

'Zo moeilijk zijn ze niet,' zegt ze. 'Het lukt je wel. Dat moet ik in de vierde klas toch echt wel kunnen vragen.'

'Wanda is nu fotomodel!' blaat Bernie. 'En fotomodellen hoeven niet te kunnen rekenen.'

'O ja!' zegt mevrouw Schmitz. 'Ik heb de borden gezien. Heel mooi. Je staat er erg leuk op, Wanda. Maar wat dat met wiskunde te maken heeft?'

Ik draai me om naar Bernie en steek mijn tong uit.

Woensdagmiddag, drie uur

Het wordt stilaan ernst. Eigenlijk zou vandaag de laatste dag van de casting zijn. Maar Flavio zegt dat ze wat vertraging opgelopen hebben.

En alles is ook tijdrovender geworden doordat we eigenlijk voor twee zaken gecast worden. Voor de speelfilm en voor het tv-spotje. Als ze het woord *speelfilm* hoort, begint Trixi meteen uitgelaten te kraaien. De twee oppergeiten schudden alleen hun haar over hun schouders en Barbie laat een kauwgumbel uit elkaar klappen. Maar ze zouden ook graag kraaien, dat weet ik zeker.

'Het is niet gemakkelijk een beslissing te nemen,' zegt Flavio. 'We hebben hier immers een paar beloftevolle talenten ontdekt.'

Ik knijp Fabian in zijn arm.

'Dat is heel uitzonderlijk,' vervolgt Flavio. 'We hebben niet altijd zo veel geluk.' Hij kijkt naar Marietta en knikt. 'Ik hoop dan ook dat het ons zal lukken zowel voor het regeringsspotje als voor de speelfilm de juiste acteurs en actrices te kiezen.'

Trixi springt uitgelaten op en neer. De geiten kauwen op hun kauwgum alsof ze ervoor betaald worden.

'Maar het spreekt natuurlijk vanzelf dat niet iedereen een rol kan krijgen ...'

Geluk? Voor wie? →

Barbie en Pamela kijken in onze richting en proberen triomfantelijk te grijnzen.

Flavio schraapt zijn keel. 'Ik wil in elk geval iedereen bedanken voor alle geduld en volharding. En ik begin nu alvast te duimen voor degenen die het deze keer niet gehaald hebben.'

Lieve hemel! Houdt die dan nooit meer op met praten? Mijn benen beginnen al te slapen. Maar ik denk dat ik de enige ben die het vervelend vindt. Alle anderen worden ineens keinerveus.

Er tikt iemand op mijn schouder. Het is de man aan wie ik vrijdag gevraagd heb of hij wist waar een kaarttelefoon stond.

'Ben jij Katti Schierlinger?' mompelt hij.

Ik schud mijn hoofd.

'Wanda Lichtenberg?'

Ik knik.

'Hier, dit heeft iemand voor jullie afgegeven.' Hij geeft me een envelop en sloft weg.

De envelop is dichtgeplakt. Ik scheur ze open en trek er een vel papier uit.

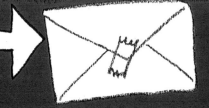

Voor Schierlinger of Lichtenberg of Schilling!

Wanda Lichtenberg,
Katti Schierlinger en
Fabian Schilling, als de hoofdrol jullie
interesseert, kom dan naar de hal
hiertegenover. Het is belangrijk!
Met vriendelijke groeten,
de rezjisuur

Ha, ha, ha!

Ik geef het briefje aan Katti. 'Hier, een bericht van de *rezjisuur*.'

'Dat moeten we aan Fabian laten zien!' fluistert Katti en ze trekt aan mijn arm. We geven Fabian een teken en drentelen naar de achterkant van de hal.

'Bernie heeft nooit zonder fouten kunnen schrijven,' zegt Fabian.

Wat mij betreft, kunnen die drie wachten tot er paddenstoelen tussen hun tenen groeien.

'En dat meen ik!' zeg ik en ik stop het briefje in mijn achterzak.

Woensdagmiddag

HALF
VIER

Ik moet nodig. Ik heb de deur nog maar net gesloten als ik nog twee meiden het toilettenblok hoor binnenkomen. Het zijn Pamela en Barbie. Makkelijk te herkennen, ze praten heel hard.

'Ik hou het niet meer uit!' jammert Barbie. 'Ik moet een rol hebben! Dat moet gewoon!'

'En ik dan?' vraagt Pamela. Ik hoor iets rinkinken. Waarschijnlijk is haar lipgloss in de wasbak getuimeld.

'Het moet gewoon!' hoor ik Barbie zeggen. 'Na alle moeite die we ervoor gedaan hebben!'

'Dat mag je zonder weifelen zeggen!' jammert Pamela. 'Ik heb al weken niks zoets meer gegeten. Zelfs geen piepklein ijsje.'

'Iets zoets?' zegt Barbie. 'Ik weet niet eens meer hoe je dat schrijft! Ik eet haast niets anders meer dan sla en groentesoep en af en toe een stukje fruit.'

'En die Mars van gisteren dan?' vraagt Pamela. Het klinkt hatelijk.

'Dat was een uitglijer!' bromt Barbie geprikkeld en dan begint ze te foeteren. 'Het kan toch niet dat ze daar allemaal geen rekening mee houden! Er lopen hier van die vetgemeste waggelbuiken zoals die Otto rond. Dat heb ik hem pas nog gezegd. Maar je denkt toch niet dat die het opgegeven heeft? Je gelooft het gewoon niet!'

Arme Otto. Zou hij als hij zo aangevallen wordt nog altijd 'Dat stoort geen grote geest!' blijven zeggen?

Barbie windt zich steeds meer op. Van Pamela hoor ik alleen af en toe nog een hatelijk 'Juist!' of verachtelijk gesnuif.

'En dan die stomme koeien die zich niet weten te presenteren. Katti Schierlinger …' Barbie maakt een geluid dat op lachen lijkt, maar erg hatelijk klinkt. 'Katti Schierlinger komt hier soms zelfs ongekamd aan! Bah! Leonie zegt dat ook altijd. En Katti's onnozele vriendin, die Wanda. Die is toch te stom om voor de duivel te dansen. Maar toch hangt ze op al die aanplakborden, alsof ze wat voorstelt.'

'Wanda!' zegt Pamela. 'Die uitgerafelde zwabber heeft tegen ons toch geen schijn van kans!'

'Eigenlijk niet!' sist Barbie. 'Maar wie krijgt stiekem briefjes van de regisseur toegestopt? Wanda Lichtenberg en Katti Schierlinger!'

'Nee toch!' roept Pamela.

'Ja, hoor!' zegt Barbie. 'Ik heb het met eigen ogen gezien.'

Ik trek de wc door en loop met geheven hoofd langs die twee naar de wasbak. Zwijgend, heel rustig was ik mijn handen en ik droog ze dan heel grondig af. De twee geiten staan daar als door de bliksem getroffen. Sprakeloos, als versteend. Pas als ik me langs hen moet dringen om naar buiten te lopen, komt er weer wat beweging in.

Woensdagmiddag,
tien voor vier

'Barbara Liesfeld?' Flavio klinkt alsof hij bijna barst van de zenuwen. 'Lieve hemel, ik wil vandaag nog wat werken, hoor! Barbara Liesfeld?'

'Hij bedoelt Barbie!' fluistert Katti.

Ik kijk om me heen. Pamela is ook nergens te zien.

Ik steek mijn hand in mijn achterzak.

'Ze hebben het briefje gegapt!' zeg ik verbluft.

'Welk briefje?' vraagt Katti.

'Dat van de *rezjisuur* natuurlijk!' kir ik.

Gelukkig zijn wij vandaag al aan de beurt geweest. We trekken Fabian weg van Trixi, die hem net al haar favoriete acteurs begint op te dreunen.

'Je lijkt een beetje op Brad Pitt, Fabian, weet je dat?' mekkert ze net als Katti en ik bij hen gaan staan.

'Inderdaad!' zegt Katti en ze spert haar ogen open. 'En jij lijkt op Angelina Jolie!'

'Vind je?' Trixi strijkt met een aanstellerige beweging wat haar uit haar gezicht. Vandaag lijkt het wel de nationale dag van de misverstanden te zijn.

'Jullie geloven toch niet echt dat die daarin gelopen zijn?' zegt Fabian als we vanaf de hal de tochtige gang in lopen.

'Jij bent gewoon boos omdat we je van je Trixi weggelokt hebben.' Katti giechelt. 'Brad Pitt!'

'Hou toch op!' sis ik. 'Het kost toch niks om het even te checken?' voeg ik er heel zacht aan toe.

Om in de hal ertegenover te komen, moeten we door een grote poort met twee vleugels.

Ik pak de klink vast. 'Gesloten!' fluister ik.

'Wat verwachtte je dan?' bromt Fabian.

Hij vindt het duidelijk niet leuk dat we hier rondsluipen. Hij vindt dat we nu precies doen wat de meisjeshaters wilden.

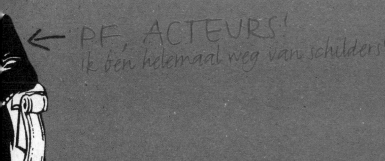

← 'PF, ACTEURS!
ik ben helemaal weg van schilders'

'Is er hier een zijingang?' vraagt Katti.

'Ja, hoor!' Ik wijs naar een roodgeverfd, metalen deurtje aan de linkerkant van het gebouw.

'Ik hoop dat die niet piept!' Katti laat haar hand over de rode verf glijden, die vol roestblazen en krassen zit.

Onwillig duwt Fabian de klink naar beneden en hij trekt voorzichtig aan de deur. Ze draait geluidloos open. Het is donker in de hal. Er is nergens iemand te zien.

'Kunnen we dan nu teruggaan?' vraagt Fabian en hij wijst met gestrekte armen in het rond.

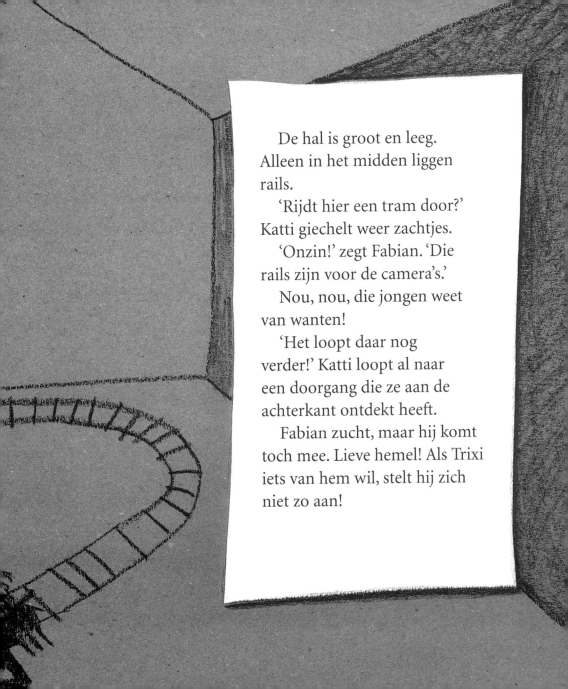

De hal is groot en leeg. Alleen in het midden liggen rails.

'Rijdt hier een tram door?' Katti giechelt weer zachtjes.

'Onzin!' zegt Fabian. 'Die rails zijn voor de camera's.'

Nou, nou, die jongen weet van wanten!

'Het loopt daar nog verder!' Katti loopt al naar een doorgang die ze aan de achterkant ontdekt heeft.

Fabian zucht, maar hij komt toch mee. Lieve hemel! Als Trixi iets van hem wil, stelt hij zich niet zo aan!

'Dat kan toch niet!' piept Katti als we door de coulissen schuifelen die achter de doorgang staan. 'Hier wordt *Verliefd op je buurman* opgenomen! Ik herken alles!'

'Wat is dat?' fluistert Fabian.

'Een soapserie,' fluistert Katti terug.

Ik leg snel mijn hand op haar mond. Ik heb geluiden gehoord. Zachtjes, maar ze komen duidelijk uit de hoek rechtsachteraan. Het klinkt als een minigrasmaaier of een autootje met afstandsbediening.

Woensdagmiddag

Als we nog wat verder sluipen, horen we duidelijk de stem van Lucki.

'Doe nu eindelijk je mond eens open! Waar zijn onze fietsen?'

'En waar is ons vuurwerk?' Dat is Tobias.

We kijken elkaar verbluft aan. Zijn die blind of zo? Ze verwarren ons toch niet met Barbie en Pamela? Oké, het is hier nogal duister. Maar pikdonker is het toch ook weer niet.

'Antwoord!' De krassende stem van Bernie.

Geen antwoord, wel zacht gekreun. Dat is weer echt iets voor dat soort jongens: eerst steken ze een prop in de mond van hun slachtoffers en dan willen ze antwoorden op hun vragen.

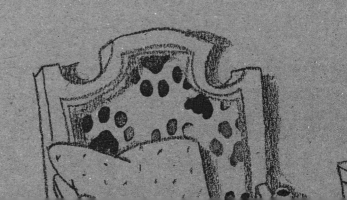

Katti wenkt ons. Er zit een raam in het toneelscherm. Geen echt raam natuurlijk, maar je kunt er wel doorheen kijken. Ik bijt op mijn lippen. Nu niet giechelen! Maar wat we te zien krijgen, is echt te stom. De hele meisjeshaterskliek heeft zich als rovers verkleed. Ze hebben dameskousen over hun hoofd getrokken en het been van de kousen boven op hun hoofd geknoopt. Daardoor zien ze eruit als een stelletje rimpelige oma's.

Yakup houdt een videocamera voor zijn ogen. Ik grijns.
Het is hier veel te donker om zomaar te filmen. Lucki en Tom
hebben elk een tondeuse in hun hand. Ik ken die dingen van
in de ouderwetse kapperszaak in onze straat.

Op de grond liggen twee vastgebonden gestalten. Dit zal
wel de wraak van de meisjeshaters zijn, want wij hadden hen
op de manege ook tot bundeltjes samengebonden. De twee
bundels hier op de grond hebben een zak over hun hoofd. Op
de ene staat *Eet meer fruit*, op de andere *Alleen als er bio op
staat, zit er ook bio in.*

Ik knijp Katti in haar arm, want ik zie dat ze het weer wil uitproesten.

'Voor de laatste keer!' snauwt Lucki. 'Waar zijn onze fietsen?'

'Groempffff!' klinkt het vanuit de biozak.

'Oké, wat je wilt!' zegt Bernie. Het klinkt als in een heel slecht toneelstuk.

Nu gaat het ineens allemaal heel erg snel. Bernie en Tobias trekken de twee zakken weg. Tom en Lucki zetten de tondeuses aan. Er klinkt een zoemend geluid en er vallen twee lange haarstrengen op de grond. Een blonde en een donkere.

Ik weet niet wie als eerste schreeuwt. Maar plots beginnen alle meisjeshaters te krijsen als speenvarkens die levend gegrild worden. Ze hebben gemerkt dat ze de verkeerde meiden gevangen hebben en schrikken zich halfdood! Het gillen van de twee geiten klinkt gedempt, want zij hebben een prop in hun mond.

En nu schieten Katti en ik toch in de lach.

Shit! Nu hebben de meisjeshaters ons ontdekt. Woedend willen ze zich op ons storten. Maar ineens verschijnt er een volwassene vanachter het toneelscherm. We kunnen nog net wegduiken.

Zo snel als kaboutertjes gaan de meisjeshaters ervandoor. Alleen de twee ingepakte geiten zijn er nu nog. En een man, die zijn mond niet meer dicht krijgt van verbazing.

Woensdagavond

Marietta zit aan onze keukentafel. Ze is bekaf. De opwinding van de laatste dagen heeft haar echt afgemat. Iedereen denkt dat een gemene volwassene Pamela en Barbie overvallen had. De technicus die hen daar vond, wist alleen maar dat er iemand snel wegvluchtte toen hij binnenkwam.

'Zoiets mag gewoon niet gebeuren!' jammert Marietta voortdurend.

Ik vertel haar dat ik weet wie de twee meiden geboeid hadden. En dat eigenlijk Katti, Fabian en ik door de meisjeshaterskliek gescalpeerd hadden moeten worden. Ik moet het allemaal vijf keer opnieuw uitleggen voor ze er ook maar iets van begrijpt. Volwassenen zijn soms echt traag van begrip.

Als ze wat rustiger geworden is, vertelt Marietta dat ze Barbie en Pamela vandaag eigenlijk had willen zeggen dat er voor hen geen rol in zit. Maar toen ze daar zo stonden met hun kaalgeschoren hoofd, had niemand het over zijn hart kunnen verkrijgen hun dat te vertellen.

'Stom, eigenlijk,' zucht Marietta. 'Uiterlijk vrijdag moeten we het hun toch zeggen.'

Woensdagavond, later

Ik bel Katti op. Dat nieuws moet ze natuurlijk meteen weten.
Ze is erg opgewekt. Toen ze klaar was in de studio ging ze nog naar de paarden en daar zag ze Leonie. Die stond in een box met de instructeur te praten. Ze zagen Katti niet.
'Stel je voor!' giechelt Katti. 'Leonie had zich ook laten inschrijven voor de casting, maar ze mocht niet meedoen!

Dat was ze Claudio aan het vertellen toen ik binnenkwam. Ze verwachtte vast dat hij zou zeggen: "Wat? Je mocht niet meedoen? Terwijl jij de mooiste bent van allemaal?" Of zoiets. Maar hij zei alleen maar: "Casting! Casting! Ik hoor haast nergens anders meer iets over! En sinds Katti Schierlinger naar die casting gaat, heeft ze zelfs amper nog tijd om te trainen!" Daarop begon Leonie te roepen: "Wat? Katti mocht wél meedoen?" Toen haalde Claudio alleen maar zijn schouders op. "Waarom niet?" mompelde hij. Daarop liep ik de box in. Heel cool. "Ja, waarom niet?" zei ik. Toen gilde Leonie pas echt. Ze werd vuurrood en liep naar buiten.

Claudio keek haar na en schudde alleen maar met zijn hoofd.'

We lachen zo hard dat mama uit de keuken komt. 'Naar bed nu, Wanda!' zegt ze.

Beetje geluk voor Marietta

Vrijdagmiddag

Gisteren had Marietta zich al wat hersteld en vandaag heeft ze haar zenuwen weer onder controle.

Vandaag komen de regisseur van de speelfilm én de regisseuse van het tv-spotje op hetzelfde tijdstip langs.

'Dat kon niet anders geregeld worden,' zegt ze klaaglijk tegen mama als we thuis weggaan. Ze ziet eruit alsof ze al dagen niet geslapen heeft.

Mama legt haar arm om haar schouders. 'Het lukt je wel,' zegt ze en ze wroet even in Marietta's haar.

Vrijdagmiddag

Gek genoeg ben ik nu ook een beetje opgewonden. Misschien doordat iedereen zo opgewonden is. Zelfs Otto.

Ik leg mijn hand op zijn schouder. 'Dat stoort geen grote geest!' zeg ik.

Hij grijnst wel, maar nogal scheef.

Pamela en Barbie zijn er ook. Ze hebben allebei een stijlvol kapsel. Niemand zou denken dat ze eergisteren bijna gescalpeerd werden.

We moeten de korte scènes opvoeren die we ingestudeerd hebben. De volwassenen zitten allemaal achter een lange tafel. De regisseurs zitten naast elkaar. Flavio wilde de twee zaken graag gescheiden houden. Dus eerst de regisseur van de speelfilm, meneer Maier, en daarna de regisseuse van het tv-spotje, mevrouw Klinger. Maar die twee vinden het spannender om samen naar alles te kijken. Flavio vindt dat niet zo goed. Met een zakdoek veegt hij voortdurend zweet van zijn voorhoofd.

Marietta
Mevrouw Klinger
Meneer Maier
Flavio
Mevrouw Perlinger, de assistente

Otto en ik spelen een scène voor het tv-spotje.

'Fantastisch!' roept mevrouw Klinger. 'Levenslustig en spontaan! Precies wat we zoeken! Hoe heet jij?'

Het duurt een paar tellen voor ik begrijp dat ze het tegen mij heeft, niet tegen Otto.

'Bedoelt u dat u wilt dat ik in de spot meespeel?' vraag ik.

'Ja, natuurlijk!' glimlacht ze.

Ik kijk stiekem achter me. Katti steekt haar duim op en kijkt me stralend aan. De geiten kijken alsof ze in een citroen gebeten hebben. Prima!

Dan valt mijn blik op Otto. Lieve hemel! Waarom hebben ze hem niet gekozen? Hij wil toch acteur worden? Niet ik!

Flavio geeft ons een teken. We moeten het toneel vrijmaken voor het volgende duo. Otto draait zich om en bijt op zijn lippen.

2 zure citroenen

en 1 geluckspaddenstoel

'Wacht eens even!' horen we meneer Maier plots roepen.
'Mag ik die jongen nog een keer zien?'

Otto loopt aarzelend terug.

Meneer Maier springt op en holt naar Otto toe.

'Grote goedheid!' roept hij. 'Dit is vast mijn geluksdag!
Ik zoek al tijden een jonge acteur voor een andere film. We
hebben die film herhaaldelijk uitgesteld omdat we niet de
juiste persoon konden vinden …' En dan vraagt hij of Otto
misschien ook een hoofdrol zou kunnen spelen.

en 2 beledigde leverworsten

Pamela en Barbie beginnen nu bijna echt groen uit te slaan.

Dan wordt Fabian ook nog voor de speelfilm gekozen. En uiteindelijk wordt zelfs Katti gekozen. Voor de tv-spot, omdat ze zo goed kan paardrijden en zo fris en natuurlijk is.

Nu kunnen de twee geiten zich echt niet meer beheersen.

'Spontaan en levenslustig!' krijst Barbie ontzet.

'Als het alleen dáár maar om gaat, kunnen wij er natuurlijk niet tegenop!' roept Pamela.

Met het hoofd in de nek lopen ze met grote passen de hal uit.

'Poeh!' doet Flavio en hij veegt alweer het zweet van zijn voorhoofd.

Ook Trixi wordt zonder rol naar huis gestuurd. Maar dat lijkt haar niet veel te kunnen schelen. 'De volgende keer zal het wel lukken!' horen we haar zeggen. 'Ik heb immers ervaring met televisie. In de tv-wereld is het erg belangrijk nooit je geduld te verliezen!'

Vrijdagavond

Marietta heeft iedereen de tip gegeven dat je bij Paolo bijzonder lekker kunt eten. En nu zitten we allemaal rond een grote tafel. Mama en Bertfried zijn er ook bij.

Fabian zit echt te stralen. 'Zonet is Mona eindelijk uit haar bol gegaan!' zegt hij opgewekt. 'Ze was zo woedend dat ze me een banaan naar mijn hoofd gooide! De casting vond ze blijkbaar niet erg belangrijk. Maar dat haar stomme broertje een rol gekregen heeft, dáár wordt ze echt gek van.'

'Wat zal Leonie zeggen als ze het hoort?' vraag ik en ik draai me om naar Katti.

'Ze weet het al,' grijnst Katti. 'De mensen van de tv zijn naar de manege gekomen. Ze vroegen of ze met Caruso kunnen filmen, omdat die me het beste kent.'

Ik verslik me in mijn appelsap als ik me voorstel wat voor een gezicht Leonie getrokken moet hebben.

Het duurt lang voor iedereen iets te eten heeft.

Net als Paolo me mijn spaghetti voorzet, buigt Marietta zich naar me toe. 'Wanda, ik moet je iets belangrijks vertellen,' zegt ze. En mevrouw Klinger, de regisseuse, kijkt me heel bezorgd aan.

'Ja?' zeg ik bedrukt.

Marietta weifelt even. 'Het is zo …'

Mevrouw Klinger valt haar in de rede. 'Het is zo dat we voor die tv-spot volkomen onbekende gezichten moeten nemen. Jouw foto staat nu op al die borden en …'

'En daarom kunnen we jou niet nemen,' zegt Marietta snel en ze kijkt alsof er iemand aan het doodgaan is.

'Nou en?' grijns ik. 'We hebben de geiten toch te grazen genomen? En ik wil eigenlijk toch schilderes worden. Dan word ik beroemd genoeg. Toch, Katti?'

'Waanzinnig beroemd!' zegt Katti en Fabian knikt met zijn mond vol eten.